PATRICK SOBRAL

LES LÉGENDAIRES

LE CYCLE D'ANATHOS

12. RENAISSANCE

DELCOURT

Je tiens à remercier tous ceux qui m'ont soutenu dans le choix de donner à cette série un nouveau souffle, une nouvelle direction.
Je pense sincèrement que la BD des Légendaires y gagne en profondeur et en émotions et vous pourrez le constater une fois de plus dans ce tome (et ceux à venir...).
Vive l'aventure !!

Retrouve tes héros sur leur site officiel
www.leslegendaires-lesite.com

GRYF

HÉRITIER DU TRÔNE DE **JAGUARYS**, CITÉ DES HOMMES-FÉLINS, **GRYF** EST LE PLUS COURAGEUX DES LÉGENDAIRES. LORS DE SON DERNIER SÉJOUR PARMI LES SIENS, IL S'EST FAIT GREFFER UN **KATSEYE** SUR LE FRONT. LORSQUE GRYF CHOISIT DE L'ACTIVER, CE DIADÈME MAGIQUE LUI CONFÈRE LA FORCE ET LA VITESSE DE **DIX** JAGUARIANS.

JADINA

PRINCESSE DÉCHUE, **JADINA** EST DEVENUE **LE NOUVEAU LEADER** DES LÉGENDAIRES APRÈS LA MORT DE **DANAËL**. MALGRÉ LA PERTE DE SON BÂTON-AIGLE LORS D'UN COMBAT CONTRE LE **DIEU ANATHOS**, JADINA A TROUVÉ LE MOYEN D'ACQUÉRIR DE NOUVEAUX POUVOIRS TERRIFIANTS... MAIS AU RISQUE DE PERDRE SON HUMANITÉ.

RAZZIA

AUTREFOIS AU SERVICE DU **SORCIER DARKHELL** SOUS LE NOM DE **KORBO L'OMBRE ROUGE**, **RAZZIA** S'EST RACHETÉ EN COMBATTANT POUR LA JUSTICE EN TANT QUE **LÉGENDAIRE**. RÉCEMMENT AMPUTÉ DE SON BRAS DROIT, IL A CONCLU **UN PACTE AVEC UN DÉMON** EN ÉCHANGE D'UN NOUVEAU MEMBRE AUX POUVOIRS MYSTÉRIEUX.

SHIMY

ELFE ÉLÉMENTAIRE ET GARDIENNE DE LA PAIX DANS SON MONDE, **SHIMY** A POURTANT CHOISI L'AVENTURE DANS CELUI DES HOMMES EN DEVENANT UNE LÉGENDAIRE. DEVENUE **AVEUGLE** EN COMBATTANT LE DIEU **ANATHOS**, ELLE ARRIVE TOUTEFOIS À PERCEVOIR **LES AURAS** ET **LES ÉNERGIES** QUI L'ENTOURENT GRÂCE AUX **BROCHES ELFIQUES** QU'ELLE PORTE SUR SA TÊTE.

TÉNÉBRIS

FILLE DU TERRIBLE SORCIER NOIR **DARKHELL** ET AUTREFOIS ENNEMIE JURÉE DES LÉGENDAIRES, **TÉNÉBRIS** A FINALEMENT REJOINT CEUX-CI PAR AMOUR POUR **RAZZIA**. ELLE DOIT À PRÉSENT FAIRE SES PREUVES AUPRÈS DE SES NOUVEAUX COMPAGNONS ET S'AMENDER DE SES CRIMES PASSÉS ENVERS LE PEUPLE D'**ALYSIA**.

Dépôt légal : mars 2010. I.S.B.N. : 978-2-7560-1994-9

Conception graphique : Trait pour Trait

Imprimé et relié en octobre 2010
sur les presses de l'imprimerie Pol lina, à Luçon - L22541a

www.editions-delcourt.fr

KORBO
L'OMBRE ROUGE
...
...
VIENT DE LIVRER
SON ULTIME
COMBAT !

SON NOM
EST SYNONYME
DE TERREUR...
... UNE TERREUR
DEVENUE LÉGENDE !
RAZ...
...
RAZZIA
...
...
GRAND
FRÈRE...
AUJOURD'HUI
...
...
LA LÉGENDE
EST MORTE
!!
NON...
KORBO ?
NON...
NON...
NON...
1

SHEYLA!!
SHEYLA ... C'EST MOi, RAZZiA ! JE... JE VAiS TE SOiGNER ! TOUT... TOUT iRA BIEN MAiNTENANT ! JE... JE...
QU'EST-CE QUE TU ATTENDS ?
C'EST NOTRE ENNEMiE !! ACHÈVE-LA !!
NE TE MÊLE PAS DE ÇA, TÉNÉBRIS !!
MEN... MENSONGES !! RAZZiA... AiNSi QUE TOUTE MA FAMILLE ONT ÉTÉ TUÉS LORSQUE NOTRE... ViLLE S'EST FAiT ATTAQUER PAR...
... VOTRE ARMÉE !!
MAiS QUE RACONTES-TU ?
C'ÉTAiT L'ARMÉE DES 1 000 LOUPS, LA RESPONSABLE ! J'Ai VU LES DRAPEAUX PLANTÉS DANS LES VESTiGES...
UN... HAA... LEURRE DESTiNÉ À... DÉTOURNER LES SOUPÇONS !!

C'ÉTAiT BiEN LES DRAGONITES DU SORCiER DARKHELL QUE J'Ai VUS PiÉTiNER LES RUiNES ET LES CADAVRES DE MES CAMARADES, ET ARBORER PERFiDEMENT L'ÉTENDARD DE L'ARMÉE DES 1 000 LOUPS !
DU HAUT DE MES DOUZE ANS, J'Ai ÉTÉ TÉMOiN DE LEURS ATROCiTÉS !
2

SHEYLA... ?

TÉNÉBRIS, JE VEUX LA VÉRITÉ...
ÉTAIS-TU AU COURANT ?
KORBO... JE... JE ...
KORBO... EST MORT !

PRENDS TES DRAGONITES AVEC TOI ET RENTRE À CASTHELL DÉLIVRER CE MESSAGE À TON PÈRE...
TAP
... AUJOURD'HUI, KORBO L'OMBRE ROUGE A CESSÉ D'EXISTER !!!
RAZZIA DE RYMAR VIENT DE RENAÎTRE ET IL JURE DE NE CONNAÎTRE LE REPOS...
... QUE LORSQUE LE SORCIER NOIR AURA PÉRI DE LA LAME DU LÉVIATHAN !!
3

Z'EST ZETTE MÊME ÉPÉE QUE TU VIENS DE DÉTRUIRE ET QUI ÉTAIT L'HÉRITAZE DE MA ZOEUR, DEZTINÉ À PERPÉTUER LES VALEURS QU'ELLE DÉFENDAIT ...
... PAIX ET ZUZTIZE POUR TOUS LES HABITANTS D'ALYSIA !!
POURQUOI TU ME ZORS ZETTE HIZTOIRE ? ZE LA CONNAIS PAR CŒUR, Z'ÉTAIS LÀ AVEC TOI, ZE TE ZIGNALE !!
PARZE QUE AVEC OU ZANS LÉVIATHAN...
... ZE CONTINUERAI À HONORER LA MÉMOIRE DE SHEYLA !! Z'EST DANS ZET EZPRIT QUE ZE VAIS TE METTRE UNE DÉROUILLÉE !!!
HA ! HA !
TOI, ME METTRE UNE DÉROUILLÉE ?? ME FAIS PAS RIRE ! Z'AIMERAIS BIEN VOIR Z...
BOOM
ZE L'AVAIS PRÉVENU, NON ?
JE CONFIRME !!

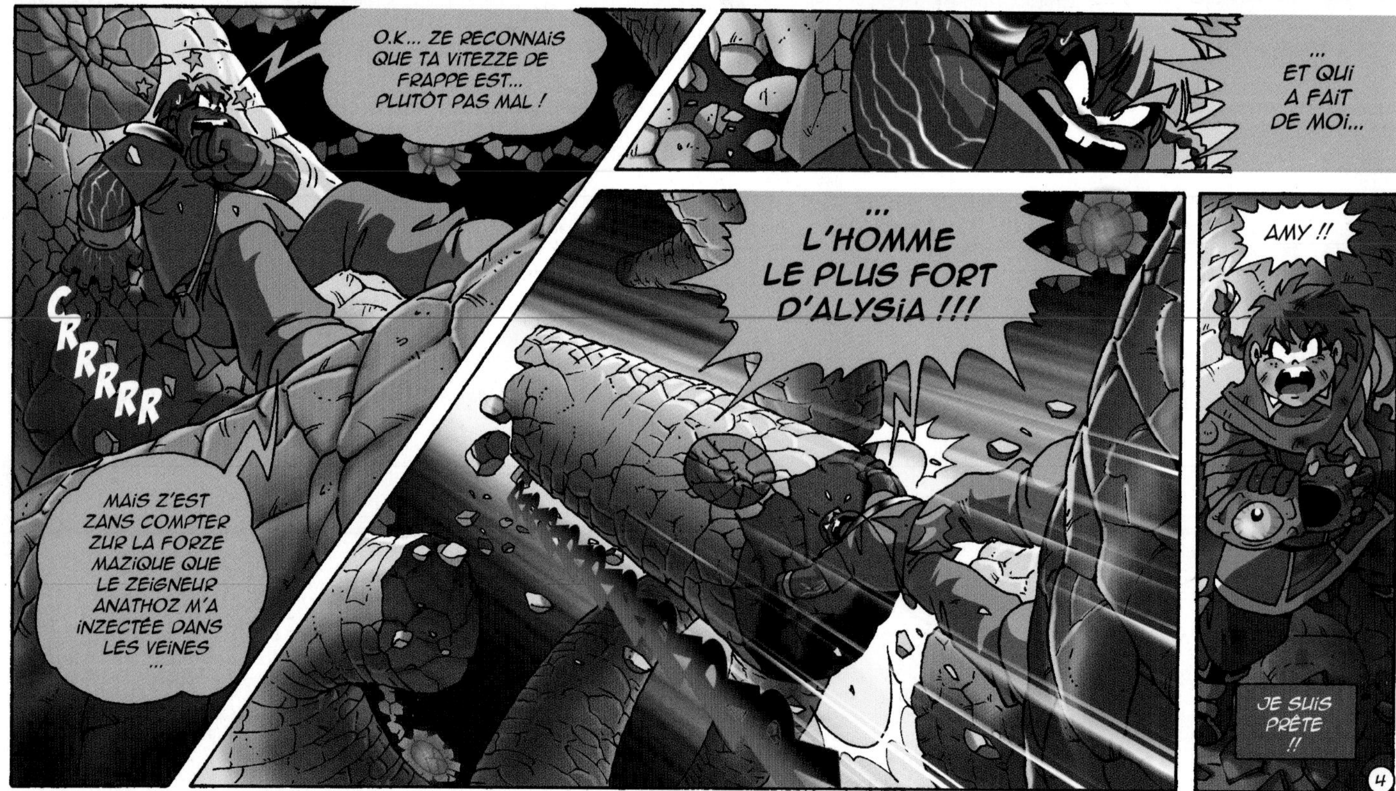
O.K... ZE RECONNAIS QUE TA VITEZZE DE FRAPPE EST... PLUTÔT PAS MAL !
... ET QUI A FAIT DE MOI...
... L'HOMME LE PLUS FORT D'ALYSIA !!!
AMY !!
CRRRRR
MAIS Z'EST ZANS COMPTER ZUR LA FORZE MAZIQUE QUE LE ZEIGNEUR ANATHOZ M'A INZECTÉE DANS LES VEINES ...
JE SUIS PRÊTE !!
4

MANZE-TOi ZAAA !!
BRAOOOOM
HÉ ! HÉ !
ALORS ? Z'EST QUi QUi FAIT L'MALIN, MAiNTENANT ?
COU-COUUU !!!
C'EST NOUUUUS !!
PONCH
ON FiNiT D'ENFONCER LE CLOU, AMY ?
J'ALLAiS TE LE PROPO-SER !!
iL EST TEMPS D'EN FiNiR !
HÉ, DARK-RAZZiA !!!
ZiEUTE UN PEU PAR iZi !!!
5

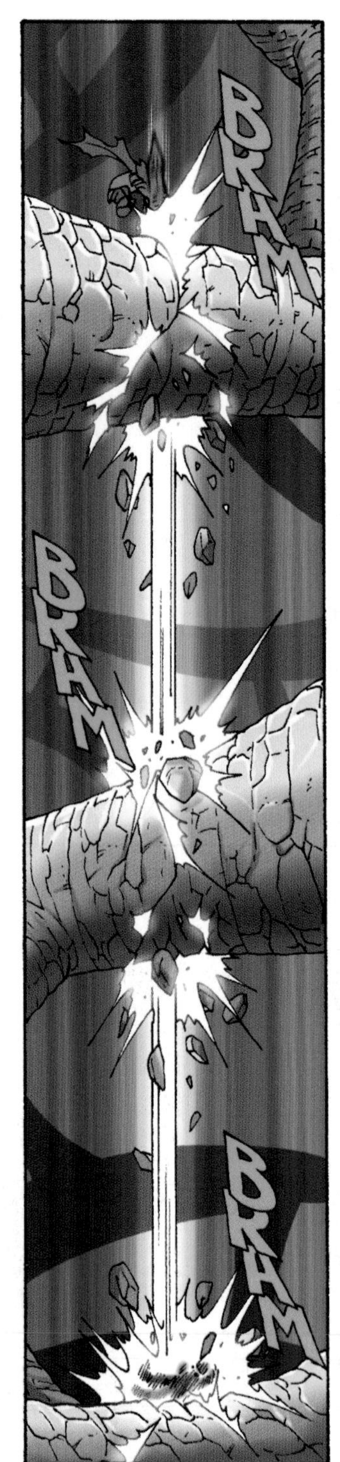
BRAHM
BRAHM
BRAHM

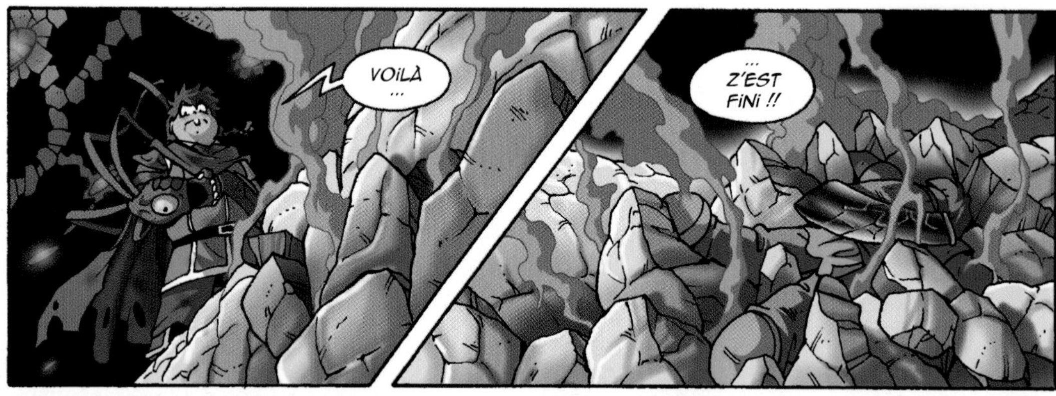
VOiLÀ ...
... Z'EST FiNi !!

HUM... POURQUOi TU NE L'AS PAS TUÉ ?
ZE NE ZUiS PAS... ZE NE ZUiS PLUS UN AZZAZZiN !!

VOiLÀ BiEN UNE PHRASE QU'iL NE ME PLAiT PAS D'ENTENDRE !

DOiS-JE TE RAPPELER QUi EST VENU ME TROUVER ET SOLLiCiTER MON AiDE ?
JE T'Ai OFFERT UN NOUVEAU BRAS ET DES POUVOIRS EN ÉCHANGE D'UNE PROMESSE !

PROMEZZE QUE ZE TiENDRAi, AMY !! TE BiLE PAS !
RAViE DE TE L'ENTENDRE DiRE !

ZE RETROUVERAi ZKROA ET SHUN-DAY ...
... ET ZE LES TUERAi DE "TA" MAiN !!
6

KOF
KOF
KOF
BEN ALORS ?
MAIS TU VAS ARRÊTER DE COURIR À LA FIN ?
T'AS BU LA TASSE ?
J'AI ...
... DIT ...
... STOP !!
7

BON, ÇA Y EST, T'ES DÉCIDÉ ?
TU TE RENDS ?
C... C'EST BON ! T'AS GAGNÉ !
MAIS ...
Y'A UN TRUC QUE J'COMPRENDS PAS...
...
POURQUOI TU T'ES PAS TRANSFORMÉ PLUS TÔT SI T'EN AVAIS LA POSSIBILITÉ ?
AU POINT OÙ ON EN EST...
... JE PEUX BIEN TE LE DIRE !
UNE FOIS ACTIVÉ, MON KATSEYE ME DONNE LA FORCE DE 10 JAGUARIANS ... MAIS MON ORGANISME NE PEUT SUPPORTER CES MUTATIONS QUE SI ELLES SONT ESPACÉES D'AU MOINS 24 HEURES... ET JE T'AVOUE QUE JE VOULAIS EN FAIRE LA SURPRISE À TA POURRITURE DE MAÎTRE !!
GRYF !
GRYF !!
C'EST QUI, LE NUMBER ONE ? C'EST MIMI !!
À L'AIDE ...
GRYF !!

L'AUTRE RAISON ...

?!

... C'EST QUE LA TRANSFORMATION ...
... EST LIMITÉE DANS LE TEMPS !!

OUAIS, OUAIS... DONC, SI JE T'AI BIEN SUIVI...

TU N'ES PLUS EN MESURE ...
... DE TE TRANS-FORMER ?!
8

ÇA M'ARRANGE !!!
JE VAIS TE...
TE... ?
MAIS...
POURQUOI...
J'ARRIVE PAS ...
... À TE TOUCHER ?
IMBÉCILE !!!
TON ÉTAT PERMANENT DE CHAKOUNIA EST À DOUBLE TRANCHANT !! IL EST VRAI QUE TU NE RESSENS PAS LA FATIGUE...
... MAIS IL T'EMPÊCHE ÉGALEMENT DE TE RENDRE COMPTE DE TON ÉTAT PHYSIQUE !! COMMENT PEUX-TU FAIRE LE POIDS DANS TON ÉTAT ?
REVIENS ...
... TE...
... BAAATTRE !
C'EST ÇA ! UN AUTRE JOUR !
9

HAAAAAA !!!
UNE TELLE PUISSANCE MAGIQUE... SANS BÂTON-AIGLE ?!
COMMENT ... EST-CE POSSIBLE ?

J'AI ÉTÉ JUSQU'À PERDRE LA VIE POUR ACQUÉRIR CETTE FORCE !! ET JE SUIS REVENUE D'ENTRE LES MORTS AVEC UN SEUL OBJECTIF...
D'OÙ TE VIENT UNE TELLE PUISSANCE ??
... UTILISER CETTE FORCE POUR TUER ANATHOS !!!

PERSONNE NE LÈVERA LA MAIN SUR LE SEIGNEUR ANATHOS...
SOIT !
JAMAIS !!
... TANT QUE JE SERAI EN VIE !!
10

C'EST TOi QUi VOiS !!

SEi... GNEUR... ANATHOS.
JE N'Ai... PAS RÉUSSi ...
PARDONNEZ-MOi...

NE T'EN FAiS PAS...
... MON AMOUR.

JE TE PARDONNE !!!

JADiNA, ATTENTiON !!!

JE SUiS PRÊTE !!
11

JADINAAAA !!!
JADINA, JADINA...
TU IMAGINAIS SINCÈREMENT POUVOIR TENIR TÊTE À UN DIEU ?
TSS ! TSS
...
TES NOUVEAUX POUVOIRS SONT CERTES IMPRESSIONNANTS MAIS ILS T'ÉLÈVENT À PEINE À LA CHEVILLE DE DARKHELL OU D'ÉLYSIO ...
TAC
JE VAIS TE MONTRER ...
... DE QUELLE MANIÈRE J'EN AI FINI AVEC EUX !!!
MON SEIGNEUR, JADINA NE MÉRITE PAS QUE VOUS VOUS DONNIEZ CETTE PEINE !
QUI... ?
LAISSEZ-MOI M'OCCUPER D'ELLE !!
DARK-SHIMY ?!!
QUE FAIS-TU ICI ? TU AVAIS POUR ORDRE DE LIQUIDER LES LÉGENDAIRES !!
ET J'AI REMPLI MA PART DE MISSION !!
APPRENEZ QU'IL Y A QUELQUES MINUTES À PEINE ...
... J'AI TUÉ LA LÉGENDAIRE SHIMY !!!
12

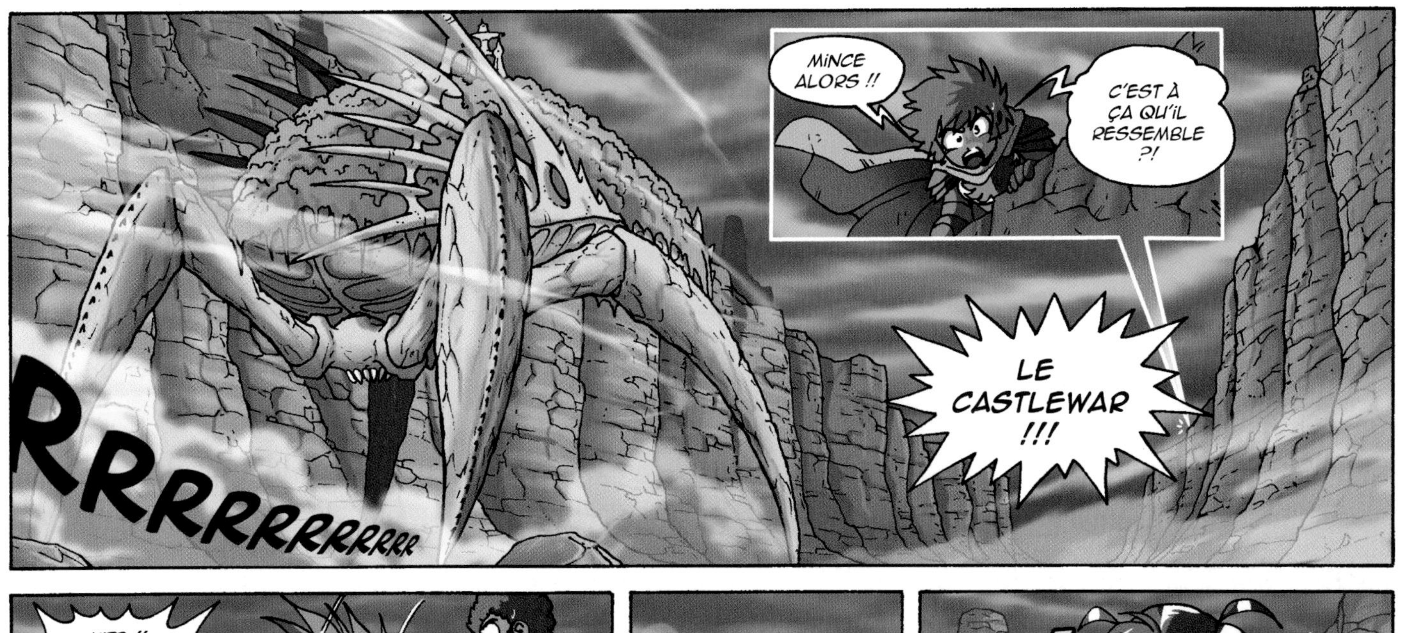
MiNCE ALORS !!
C'EST À ÇA QU'iL RESSEMBLE ?!
LE CASTLEWAR !!!
RRRRRRRRRRRRR

ViTE !! ENVOYEZ LE SiGNAL !!
ÇA ViENT ! ÇA ViENT !

À TOi DE JOUER, TOOPiE !

?!
MiAM ! MiAM !
PSHUiiiiiiiiiiiT !!!

COMMANDANT iKAËL !!!
QU'EST-CE QU'iL Y A, TOOPiE ?
COMMENT ÇA, "KESKYA" ? À VOTRE AViS ?
LE CASTLEWAR EST ARRiVÉ !!!
PAS DE PANiQUE ! NOUS SOMMES DANS LES TEMPS !!

ANATHOS VA AVOiR UNE SURPRiSE ... EXPLOSiVE !!!

SHIMY ... EST MORTE ?!
EMBROCHÉE COMME UNE SAUCISSE DE RYMAR !!
TU VEUX UNE DÉMONSTRATION DE MA TECHNIQUE ?
OBSERVE BIEN COMMENT JE ME DÉBARRASSE...
ZZZZZZZZ
NON !

... DE MES ENNEMIS !!!
DARK-SHIMY S'EN PREND À ANATHOS ?!
TU...
... N'ES PAS ...
... DARK-SHIMY !!!
ON NE SE MOQUE PAS IMPUNÉMENT DE MOI !!!
BRÛLE AU CŒUR DE MES FLAMMES, QUI QUE TU SOIS !!

VRAOOOM
14

TES FLAMMES NE SONT RIEN POUR MOI, ANATHOS !!
INCROYABLE !!

ELLE A SURVÉCU !!

CELLES QUI BRÛLENT AU FOND DE MON ÂME SONT BIEN PLUS ARDENTES !!!

CE SONT CELLES...
... DE LA VENGEANCE !!!
MAIS...
C'EST...
... SHIMY !!
ON T'A CRUE MORTE, BANANE !
T'AURAIS PRÉFÉRÉ ?
J'AI PAS DIT ÇA !
MAIS TU L'AS PENSÉ !
T'ES TÉLÉPATHE MAINTENANT ?
NON, MAIS JE SUIS FOUTEUSE DE BAFFES PROFESSIONNELLE !

À VRAI DIRE, LA DARK-SHIMY ORIGINALE ...
... A VÉRITABLEMENT ÉTÉ À DEUX DOIGTS DE ME TUER !!!
15

MAIS...
MAIS ...
UN SOUCI ?
MES COUPS !!!
C'EST PAS POSSIBLE !!
ILS TE PASSENT AU TRAVERS COMME SI ...
COMME SI TU ÉTAIS...

HUMPF !!

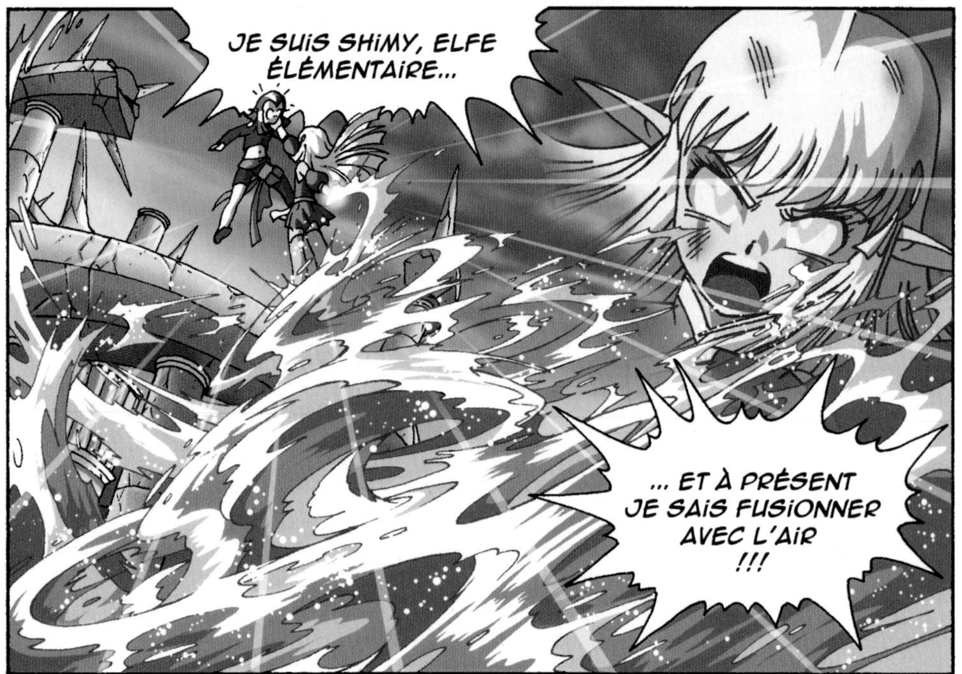
JE SUIS SHIMY, ELFE ÉLÉMENTAIRE...
... ET À PRÉSENT JE SAIS FUSIONNER AVEC L'AIR !!!

... DE L'AIR ?
PETIT SCOOP : C'EST LE CAS !!

TU T'ES TROMPÉE SUR MA TACTIQUE !!
HUMF ?!
SI JE N'AI PAS RIPOSTÉ À TES ATTAQUES JUSQU'À PRÉSENT, C'ÉTAIT EN FAIT POUR TE FORCER AU CORPS À CORPS !!

ET MAINTENANT QUE JE TE TIENS ...

HUMPF !!
... JE N'AI PLUS QU'À ASPIRER L'AIR DE TES POUMONS...

...
... JUSQU'À CE QUE TU TOMBES DANS LES POMMES !

J'AURAIS PU EN FINIR AVEC TOI ...
ESTIME-TOI HEUREUSE QUE JE DÉCIDE DE T'ÉPARGNER !!
16

JE VOIS ...
AiNSi, DARK-SHiMY A ÉTÉ VAiNCUE !!
MAiS JE DOUTE TRÈS SÉRiEUSEMENT QUE VOS AUTRES COMPAGNONS AiENT EU LA MÊME CHANCE FACE À LEURS ADVERSAiRES !!

BON ! OÙ Z'Ai ATTERRi ENCORE ? Z'EST QU'iL EST DRÔLEMENT GRAND, ZE CHÂTEAU !
RAZZiA !!
MON SUCRE D'ORGE !!
TÉNÉ ...
... BRiZ ?!

HÉ, DiS DONC ! TU POURRAiS M'ATTENDRE ?!
Z'ARRiVE, MA PUZE !!

OUi ?

HAAAAA !

TAP !
G... GRYF ?!

MAiS-T'ES-VRAi-MENT-UN-OB-SÉ-DÉ !!!
C'EST BiEN LE MOMENT ?
BAM ! BAM ! BAM !

17

BRRRAAAAAAAAAOOOOOOOOOOOMMMMMM

J...
JADINA ?!
NE VOUS INQUIÉTEZ PAS, MES AMIS !

CETTE EXPLOSION QUE VOUS VENEZ D'ENTENDRE...
... C'EST ALYSIA QUI SE SOULÈVE CONTRE LES FORCES DU MAL !!

QU'EST-CE QUE ÇA SIGNIFIE ?
TOUS LES PASSAGES DU CANYON ...
... SE SONT ÉCROULÉS !!!

MISSION ACCOMPLIE !!

LES EXPLOSIFS ONT FAIT LEUR TRAVAIL...
LE CASTLEWAR D'ANATHOS EST PRIS AU PIÈGE !!

CAPITAINE SHAMIRA, VOUS M'ENTENDEZ ?
CINQ SUR CINQ, COMMANDANT IKAËL !!
LA VOIE EST LIBRE...
... OUVREZ LES PORTES ELFIQUES !!!
18

FLOOOOOOOOOOOOOOSH
HAAAAA
MAIS-MAIS-MAIS-MAIS QU'EST-CE QUE C'EST QUE ÇAAAAA ?

LE CANYON ... IL EST ... IL EST INONDÉ !!!
IL...
L'ARMÉE...
... ELFIQUE !!!
19

TIENS BON, SHIMY !!

MAMAN ?!
ARCHERS, TIR À VOLONTÉ !!!
À VOS ORDRES, CAPITAINE !!

Hi ! Hi ! Hi !
HA ! HA ! HA !
ALORS C'EST TOUT CE QUE VOUS AVEZ TROUVÉ À M'OPPOSER ??
DES ARCS ET DES FLÈCHES ?!
JE VAIS RASER CETTE FLOTTE DE PACOTILLE EN UNE SECONDE !!
NON !
CASTLEWAR, FEUUU !!!

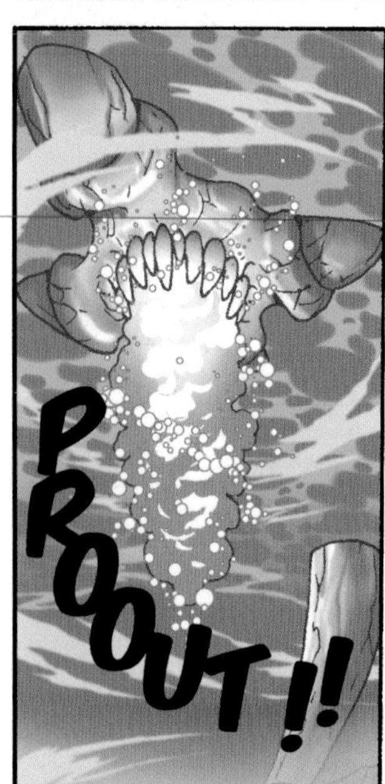
PROOOUT !!

EH BIEN, ANATHOS ? QUELQUE CHOSE NE VA PAS ?
SE POURRAIT-IL QUE TON ARME SUPRÊME NE MARCHE PAS DANS L'EAU ?

T'AVAIS... VRAIMENT PRÉVU TOUT ÇA ?
HÉ ! HÉ !
MODE FRIME.

ALORS C'ÉTAIT ÇA QUE TU MANIGANÇAIS, JADINA ? TU PENSES AVOIR GAGNÉ ?
J'AI ENCORE UNE CARTE À JOUER DANS CETTE BATAILLE !!!!
20

RRRRRRRRR
QU'EST-CE QUE... ?
DES CANONS ?!
POP
POP
POP
POP
POP
POP

ALLEZ-Y, MES VULTURS !!!

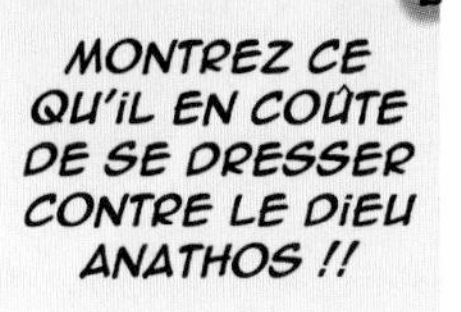
MONTREZ CE QU'IL EN COÛTE DE SE DRESSER CONTRE LE DIEU ANATHOS !!

C'EST LE MOMENT !!
ROI HALAN, GÉNÉRAL RASGA, VOUS AVEZ ENTENDU ?
À VOUS DE JOUER !!!
21

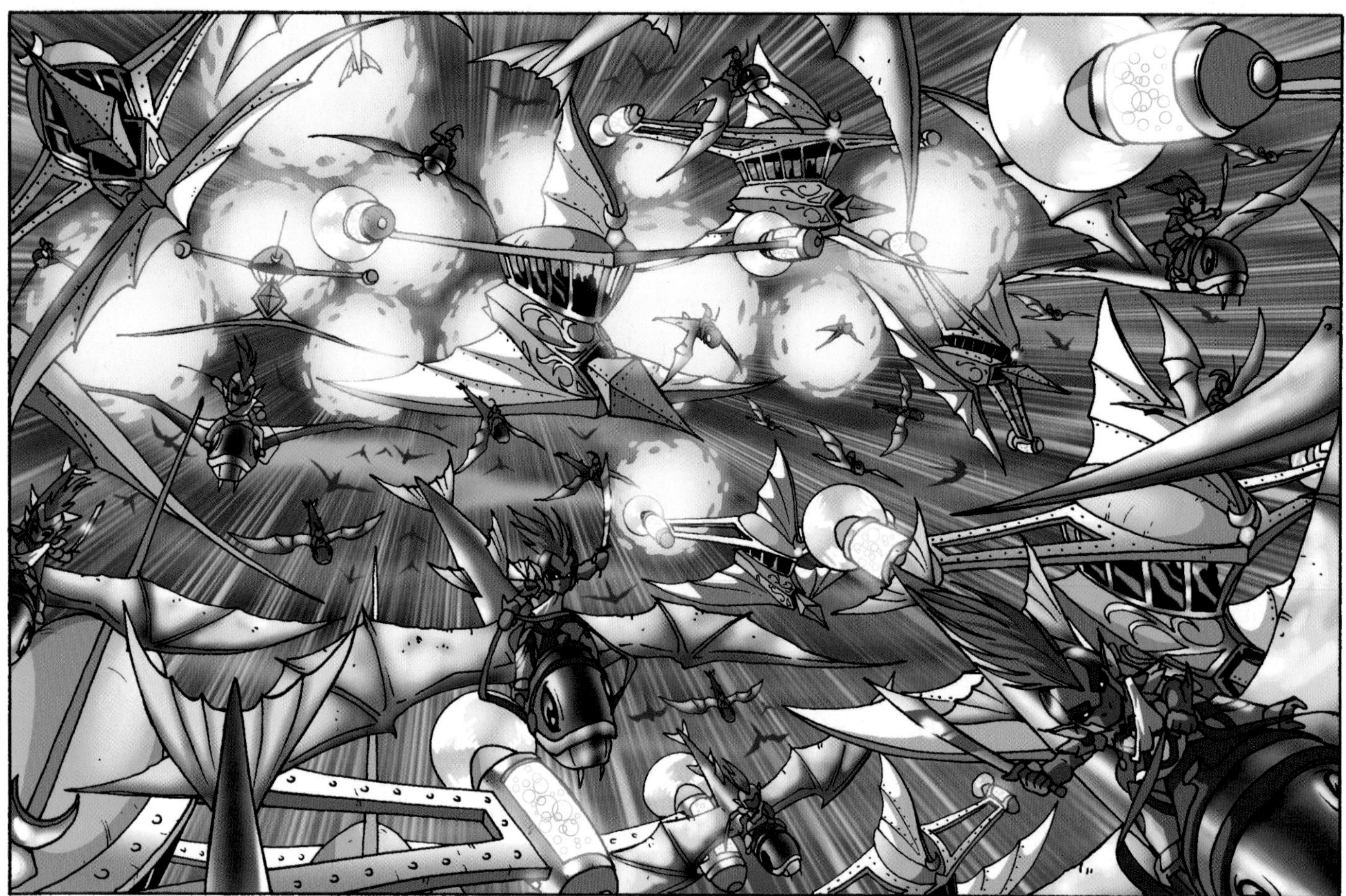

22

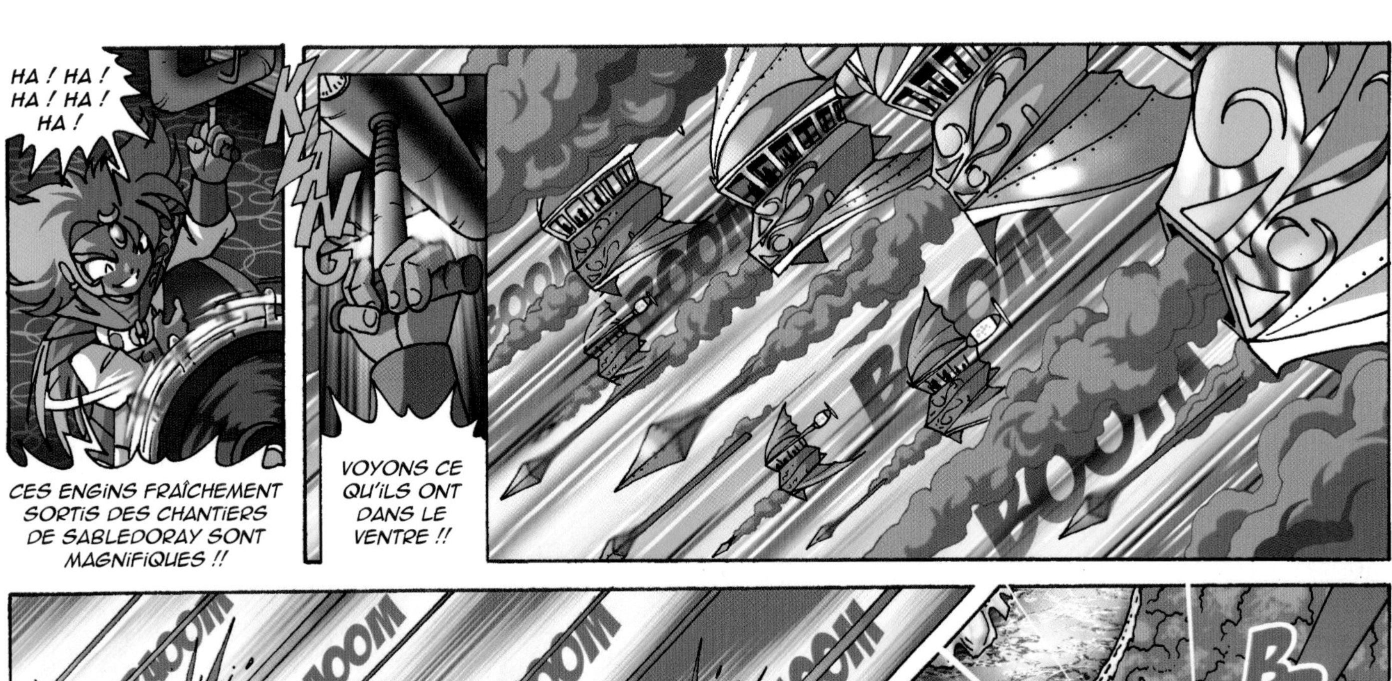
HA ! HA ! HA ! HA ! HA !
CES ENGINS FRAÎCHEMENT SORTIS DES CHANTIERS DE SABLEDORAY SONT MAGNIFIQUES !!
KLANG
VOYONS CE QU'ILS ONT DANS LE VENTRE !!
BOOM
BOOM
BOOM
BOOM

BRAOOM
BRAOOM
BRAOOM
BRAOOM
BRAOOM

RRRRRRR
C'EN EST FINI DE TON RÈGNE MALÉFIQUE, ANATHOS !!
ELFES, PIRANHIS, ALYSIENS ... TOUS SE SONT UNIS POUR LEVER LA PLUS GRANDE DES ARMÉES !!!
ET TOUS À L'UNISSON, ILS ONT CRIÉ :
"STOP AUX FORCES DU MAL !!"
FORTS DE CET APPEL, NOUS NOUS RELEVONS ET NOUS RÉPONDONS À LEUR CRI...
"N'AYEZ CRAINTE, LES LÉGENDAIRES COMBATTENT À VOS CÔTÉS !!"
23

TÉNÉ... ?
JE... JE NE SUIS PAS EN ÉTAT DE ME BATTRE, ALORS VAS-Y !! VA AIDER NOS AMIS... ET...

RAZZIA ... JE SAIS QU'IL NE LE MÉRITE SANS DOUTE PAS APRÈS CE QU'IL A FAIT À TA FAMILLE MAIS...
... S'IL TE PLAÎT, VENGE LA MORT DE MON PÈRE !!!

...

NON, TÉNÉBRIZ !!
ZE ME BATTRAI, MAIS LA VENZEANZE NE FAIT PLUS PARTIE DE MA VIE !! IL FAUT QUE TOI AUZZI, TU APPRENNES À T'EN DÉFAIRE ...

... OU ELLE DÉTRUIRA ZE QU'IL Y A DE MEILLEUR EN TOI ...
... CROIS-MOI !!

ANATHOS !! RETOURNE-TOI !
TOI...
... JE SUIS BIEN PLUS RAPIDE QU'IL Y A DEUX ANS !!! ÇA POSE PAS PROBLÈME ??

TOI...
JE VAIS ...
... TE DÉCOUPER EN RONDELLES !!!
AH ! J'ALLAIS OUBLIER...
NON...
AUCUN PROBLÈME, VRAIMENT !!!
24

GULPS !
ZRAAAM
DÉSOLÉE POUR TOI, ANATHOS !! MAIS AU CAS OÙ TU NE L'AURAIS PAS REMARQUÉ ...
... JE CONTRÔLE L'ÉLÉMENT DU FEU À PRÉSENT !!!
MINCE !
QUAND TU T'ENFLAMMES, C'EST PAS RIEN !
TON ARROGANCE...
... VA FINIR AU BOUT DE MA LAME !!!
25

ANATHOS ...
QUE... ?
C'EST LA FiiiN !!!

HAAAAAAAGH

HAAAAA !!!

VOTRE ALTESSE ?
LES COMMANDES !!
ELLES NE RÉPONDENT PLUS !!

CHAUUUUUUD DESSOUUUS !!!
26

HALAN...
TU CROiS VRAiMENT QUE C'EST LE MOMENT DE FAiRE TON iNTÉRESSANT ???

JA...
... DI...
... NA ?!
COUREZ VOUS METTRE À L'ABRI !! JE VAIS TUER ANATHOS EN LIBÉRANT TOUTE MA FORCE MAGIQUE D'UN SEUL COUP !!!
QU... QUOI ?
JADINA, NON !!! SI TU FAIS ÇA EN RESTANT À PROXIMITÉ D'ANATHOS
...
... L'ATTAQUE TE TUERA !!!
... JE SAIS !
JE NE VOULAIS PAS VOUS DÉVOILER L'INTÉGRALITÉ DE MON PLAN POUR ARRÊTER ANATHOS CAR JE SAVAIS AU PLUS PROFOND DE MOI QUE NOUS N'EN SORTIRIONS PAS TOUS VIVANTS !!
MAIS COMME JE L'AI DIT TOUT À L'HEURE, JE NE VEUX PLUS VOIR UN LÉGENDAIRE MOURIR SOUS MES YEUX
...
PAS APRÈS DANAËL !! LE SACRIFICE ULTIME, CE N'EST PAS À VOUS DE LE FAIRE...
... C'EST À MOI !!!
ADIEU, MES AMIS !!!
27

BRAOOOM

...
VOUS POUVEZ SORTIR.
BEAU BOULOT, AMY !!
JE SAIS !

JADINA ?!
JADINA !!
JADINA !!
28

JADINA...

ET... ANATHOS ?
RIEN...
... IL A DISPARU ! IL N'EN RESTE MÊME PAS DES CENDRES.

KABAM
UN... VULTUR ?!

ET Z'EST PAS LE ZEUL...
LEVEZ LES YEUX !!

TOUS LES VULTURS TOMBENT !!!

PLOUF !
PLOUF !
PLOUF !
PLOUF !
PLOUF !

CAPITAINE SHAMIRA ?! ÇA VEUT BIEN DIRE CE QUE JE CROIS QUE ÇA VEUT DIRE ?
...
JE PENSE QUE...
... OUI !!

LES LÉGENDAIRES...
... ONT VAINCU ANATHOS !!
29

JADINA ...
... TU AS SAUVÉ ALYSIA DE LA DESTRUCTION !

PLOC !

PAR TON SACRIFICE, TU AS OFFERT À CE MONDE CE QU'IL AVAIT CESSÉ D'ESPÉRER ...
RRRRRRRR

... UNE RENAISSANCE !!!
30

ANATHOS...
... EST VIVANT ?!

VOUS M'AVEZ HUMILIÉ... MOI, UN DIEU !!
VOUS ALLEZ ME LE PAYER...

NON... FINALEMENT ...

... C'EST ALYSIA TOUT ENTIÈRE ...
... QUI VA PAYER !!!

ANATHOS VA DÉTRUIRE LA PLANÈTE !
BON ZANG !! QU'EST-ZE QU'ON PEUT FAIRE ??
RIEN ! ON NE PEUT RIEN FAIRE !!
ET C'EST UNE RAISON POUR PLEURNICHER ??

JADINA !!
JA... DINA ?!
MAIS... TU ÉTAIS ...
MORTE ? OUI, JE SAIS.
JE VOUS EXPLI-QUERAI UNE AUTRE FOIS !

SI C'EST VÉRITABLEMENT LA FIN DE CE MONDE ...
... ALORS AFFRONTONS-LA COMME DES LÉGENDAIRES, AVEC COURAGE !!!
32

JADINA ?! TU AS DONC SURVÉCU À LA DÉFLAGRATION ?!
BAH ! CE SERA UN SURSIS TOUT AU PLUS CAR PERSONNE À PART MOI NE SURVIVRA À MA PROCHAINE ATTAQUE !!!
SEUL UN DIEU PEUT TUER UN DIEU !!
LA SEULE FAÇON POUR MOI DE MOURIR SERAIT QUE JE ME SUICIDE !! PAS DE CHANCE POUR VOUS !

TÉNÉBRIZ ...

TOI ET MOI ALLONS ZANS DOUTE FINIR EN ENFER À CAUSE DE NOS CRIMES PAZZÉS ...
... MAIS AU MOINS, NOUS Y ZERONS ENZEMBLE !!!
RAZZIA ...

SHIMY, J'AI MOI AUSSI QUELQUE CHOSE À T'AVOUER...
HA ?

JE T'ÉCOUTE ...

NOUS DEUX, C'EST FINI... JE VOIS QUELQU'UN D'AUTRE !!
MODE LÂCHETÉ.
ET TU ME SORS ÇA COMME ÇA ET MAINTENANT ??

LÉGENDAIRES ...
... VOUS AVEZ PERDU !!

33

STOP !!
C'EN EST TROP, ANATHOS !!!
MAIS QUI C'EST...
... CELLE-LÀ ?
34

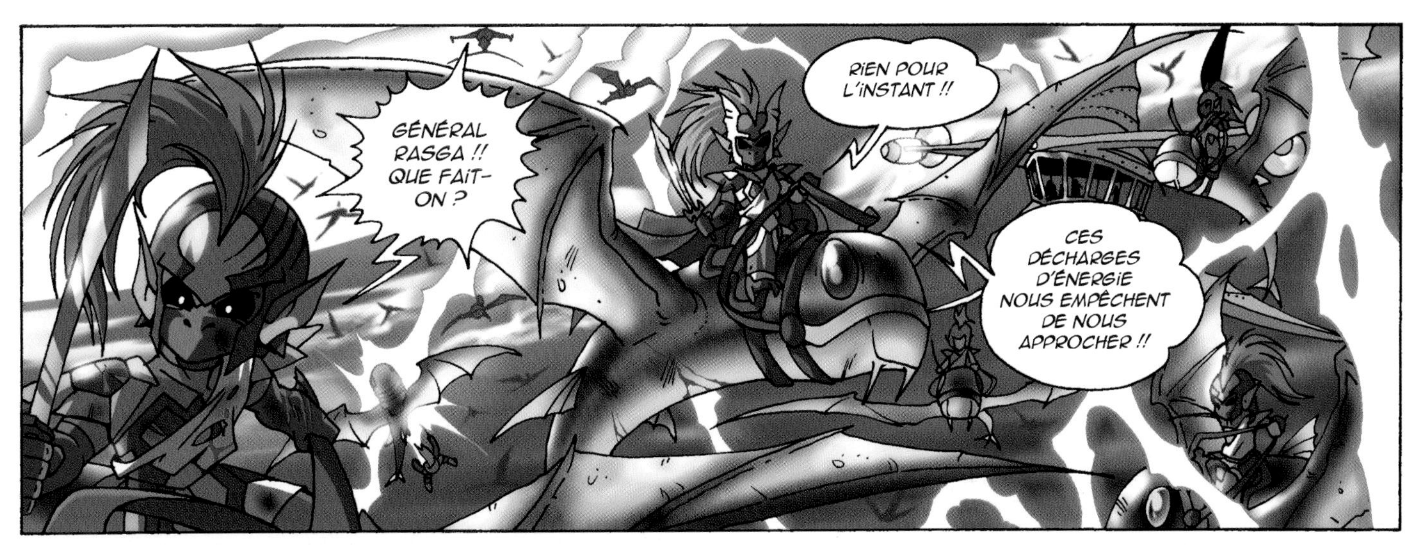
GÉNÉRAL
RASGA !!
QUE FAIT-
ON ?
RIEN POUR
L'INSTANT !!
CES
DÉCHARGES
D'ÉNERGIE
NOUS EMPÊCHENT
DE NOUS
APPROCHER !!

GÉNÉRAL
RASGA !
ROI HALAN
!!!

QUITTEZ L'ESPACE
AÉRIEN AU-DESSUS
DU CASTLEWAR
!!!
ÇA DEVIENT
TROP DANGEREUX
LÀ-HAUT !!

COMMANDANT IKAËL !!
MAIS QU'EST-CE QUI SE PASSE ?
ON A D'ABORD CRU LE COMBAT
TERMINÉ ET MAINTENANT...

JE NE
SAIS PAS,
TOOPIE
...

...
JE NE
SAIS PAS
!!!

T...
... TOI ?
ILS SE
CONNAISSENT
??
35

HAAAAA !!
QU'EST-CE QUE TU ME FAIS ?? LÂCHE-MOI !!

ANATHOZ... ON DIRAIT QU'IL ZE DÉSAGRÈZE !!
ET PAS SEULEMENT LUI ... REGARDEZ !!!

LA SPHÈRE D'ÉNERGIE QU'ANATHOS ALLAIT ENVOYER CONTRE ALYSIA...
... EST EN TRAIN DE DISPARAÎTRE !!!

EN GARDE, LES AMIS !!

BAISSEZ LES POINGS, LÉGENDAIRES D'ALYSIA !!! LE SEUL ENNEMI QUE VOUS AYEZ À CRAINDRE ...
... EST À MA GAUCHE !!
36

DANAËL
DA...
... NAËL ?!

DANAËËL !!!

CE N'EST PAS DANAËL !!!

SI ANATHOS VIENT DE REPRENDRE L'APPARENCE DE VOTRE COMPAGNON, C'EST UNIQUEMENT PARCE QUE J'AI "ENDORMI" SON POUVOIR MOMENTANÉMENT !!!
MAIS IL RECOUVRERA TOUTE SA PUISSANCE À L'INSTANT MÊME OÙ JE LÂCHERAI SA MAIN ET IL NE SE LAISSERA PLUS SURPRENDRE !
37

C'EST POURQUOI LE TEMPS VOUS EST COMPTÉ !!
L'ÉPÉE D'OR...
... DE DANAËL ?!

LE SANG DE DANAËL, LE SANG... D'ANATHOS !!
VOILÀ L'UNIQUE MOYEN DE TUER ANATHOS ... UNE ÉPÉE FORGÉE DANS SON PROPRE SANG !!!

COMMENT SAVEZ-VOUS TOUT ÇA ??
QUI ÊTES-VOUS, BON SANG ?

QUELQU'UN QU'IL VAUT MIEUX AVOIR DE SON CÔTÉ !

À PRÉSENT, PLANTEZ CETTE ÉPÉE ...
... DANS SON COEUR !!!

...

JADINA, NE FAIS PAS ÇA !!!

N'ÉCOUTE PAS CETTE FEMME !!! ELLE TE MANIPULE !!!
C'EST MOI... DANAËL !!!
38

DA... NAËL ?

POSE-MOI UNE QUESTION, N'IMPORTE LAQUELLE !! JE TE PROUVERAI QUE JE SUIS BIEN MOI !!
JE T'AIME, JADINA !! ENSEMBLE, NOUS TROUVERONS UN AUTRE MOYEN DE TUER ANATHOS !!

AIDE-MOI !

DANAËL ...
...
LE VÉRITABLE DANAËL ...
... M'AURAIT DEMANDÉ DE LE TUER !!

FÉLICITATIONS, LÉGENDAIRE JADINA !! VOUS VENEZ DE SAUVER LE MONDE !!
JADINA !!

HÉ, VOUS ! ATTENDEZ !! ON A QUELQUES QUEZTIONS À VOUS POSER !!!
CE SERA POUR UNE AUTRE FOIS. MAIS PATIENCE ...
DIZPARUE ?
ZAP !
... NOUS NOUS REVERRONS LE MOMENT VENU !

RAZZIA ...
AMY, QUE PENZES-TU DE TOUT ZA ?
FRANCHEMENT, CETTE HISTOIRE ME LAISSE... PERPLEXE !!
ZE ME DEMANDE BIEN QUI...
RAZZIA !!
QUOI ??

LAISSE TOMBER CETTE FEMME ...
... NOS AMIS ONT BESOIN DE NOUS.
40

RRRRRRRRRRRRRR

À TOUTE LA FLOTTE :
"MARCHE ARRIÈRE, TOUTE !"
CASTLEWAR S'EFFONDRE !!

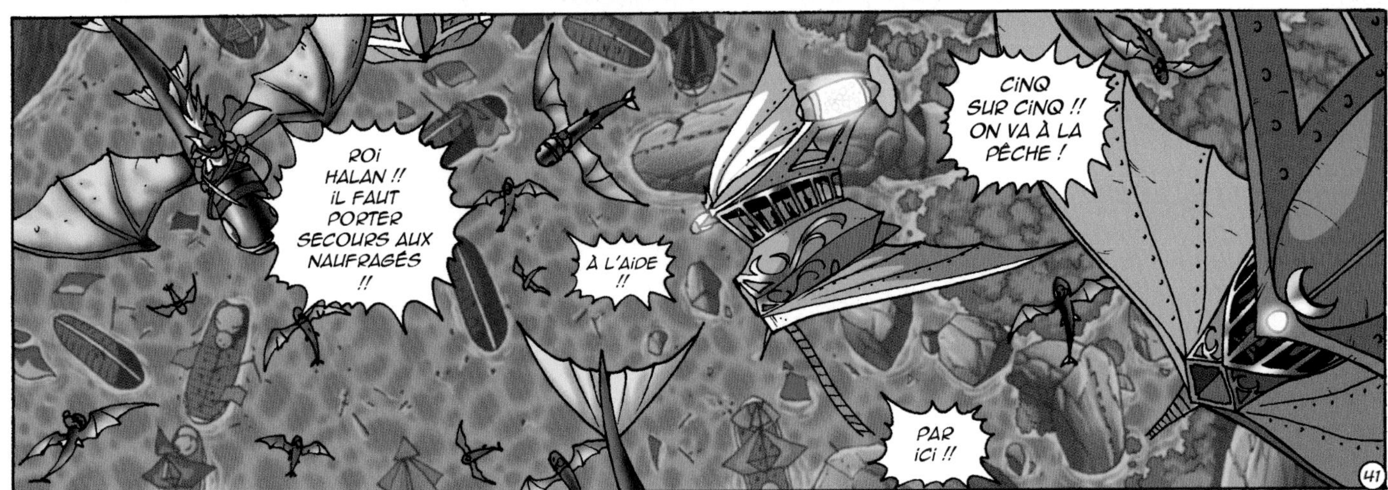
ROI HALAN !! IL FAUT PORTER SECOURS AUX NAUFRAGÉS !!
À L'AIDE !!
CINQ SUR CINQ !! ON VA À LA PÊCHE !
PAR ICI !!
41

QU'EST-CE QUE C'EST QUE ÇA ?

AUJOURD'HUI, NOUS CÉLÉBRONS ...
... LA FIN DE CETTE GUERRE !
DARKHELL
DANAËL
ÉLYSIO
AUJOURD'HUI, NOUS HONORONS ...
... NOS MORTS !!
43

ICI SONT ENTERRÉES LES PREMIÈRES VICTIMES DU DIEU ANATHOS...
... DE VÉRITABLES COMBATTANTS TOMBÉS SOUS LES COUPS ENNEMIS.
ILS ÉTAIENT NOS AMIS...
... NOTRE FAMILLE ...
... ET PLUS ENCORE !
IL INCOMBE AUX SURVIVANTS D'HONORER LEUR MÉMOIRE EN FAISANT RENAÎTRE ALYSIA DE SES CENDRES !!
QUANT À NOUS, MES CHERS AMIS, POURSUIVONS LE RÊVE DE DANAËL ...
... ET TROUVONS ENSEMBLE UN REMÈDE À L'EFFET JOVÉNIA !!
LÉGENDAIRES UNIS UN JOUR ...
... LÉGENDAIRES UNIS TOUJOURS !!!
44

DANAËL

DANAËL

DANAËL

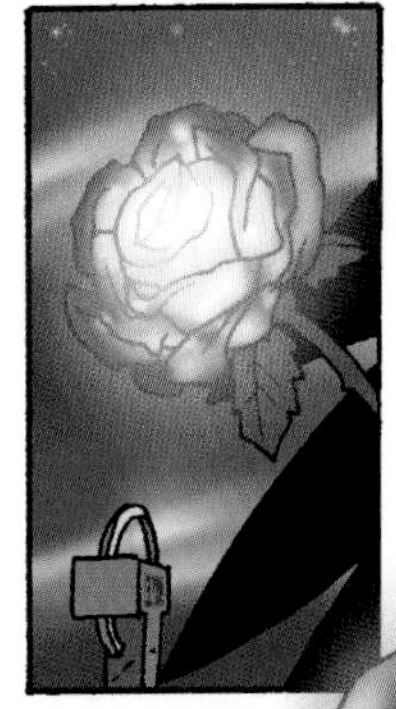

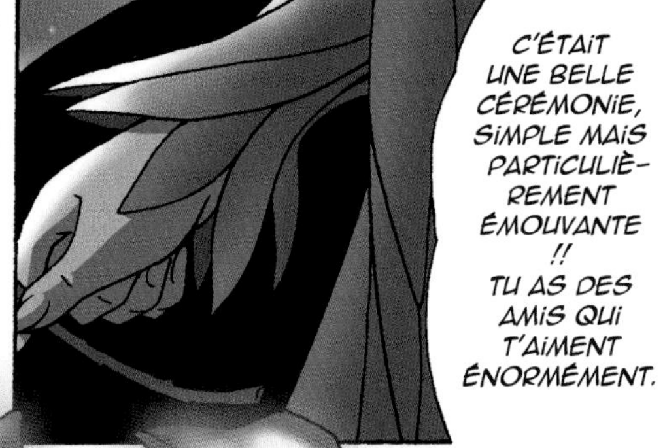
C'ÉTAIT UNE BELLE CÉRÉMONIE, SIMPLE MAIS PARTICULIÈ-REMENT ÉMOUVANTE !! TU AS DES AMIS QUI T'AIMENT ÉNORMÉMENT.

DES AMIS QUI NE DÉSIRENT QU'UNE CHOSE : QUE TU PUISSES REPOSER EN PAIX POUR L'ÉTERNITÉ !!
MAIS... CELA N'ARRIVERA PAS !!

PAR LES CERCLES DE L'INFINI...
DANAËL

... TRAVERSE LE MIROIR DES ÂMES...
... ET REGAGNE TON SOCLE DE CHAIR !!
RENAISSANCE DORÉE !!!
HAAAAAAAAAAAAAAAAAAAA
45

...
QUi... ÊTES-VOUS ?
NOUS SOMMES TA NOUVELLE FAMiLLE, PARDi !!
FiN.

PROCHAINEMENT

Les Légendaires doivent se rendre au chevet de la reine Adeyrid,
la mère de Jadina, qui est gravement malade !
L'heure est venue de lever le voile sur de terribles secrets
trop longtemps enfouis...

Même si cela signifie briser à jamais les liens qui unissent nos héros ?

Vous le saurez en lisant

SANG ROYAL,

treizième épisode des *Légendaires*,
disponible chez votre libraire.